Princesse Charlotte
et la Fantaisie des Neiges

Cet ouvrage a initialement paru en langue anglaise en 2006
chez Orchard Books sous le titre :
Christmas Wonderland.
© Vivian French 2006 pour le texte.
© Orchard Books 2006 pour les illustrations.

© Hachette Livre 2008 pour la présente édition.

Adapté de l'anglais par Natacha Godeau

Conception graphique et colorisation : Lorette Mayon

Hachette Livre, 43 quai de Grenelle, 75015 Paris

Vivian French

PRINCESSE Academy
Les Tours d'Argent

Princesse Charlotte
et la Fantaisie des Neiges

HACHETTE

PRINCESSE
Academy
Les Tours d'Argent

Institution

pour Princesses Modèles

Devise de l'école :

Une Princesse Modèle
est honnête, aimable
et attentionnée.
Le bien-être des autres
est sa priorité.

*Les Tours d'Argent dispense
un enseignement complet à l'usage
des princesses du Club du Diadème.
Sorties de classe privilégiées.
Notre programme inclut :*

- Cours de Grâce et de Majesté
- Étude des Mésententes Ministérielles
- Stage chez Sylvia l'Herboriste
(Sorcière Guérisseuse du Royaume)
- Visite du Musée d'Histoire Souveraine
(Pomme Empoisonnée sécurisée)

Notre directrice, la Reine Samantha,
assure une présence permanente
dans les locaux. Nos élèves sont
placées sous la surveillance
de Fée Angora, enchanteresse
et intendante de l'établissement.

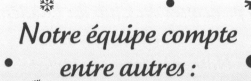

*Notre équipe compte
entre autres :*

• Lady Albina
(Secrétaire de Direction)

• La Reine Mère Matilda
(Maintien et Bonnes Manières)

• Le Prince Dandy,
Dauphin de la Couronne
(Sorties et Excursions)

• Marraine Fée
(Enchanteresse en Chef)

Les princesses du Club du Diadème
reçoivent des Points Diadème afin
de passer dans la classe supérieure.
Celles qui cumulent assez de points
aux Tours d'Argent accèdent
au Bal de Promotion, au cours
duquel elles se voient attribuer
la prestigieuse Écharpe d'Argent.
Les princesses promues intègrent
alors en troisième année
le Palais Rubis, notre établissement
magistral pour Princesses Modèles,
afin d'y parfaire leur éducation.

*Le jour de la rentrée,
chaque princesse est priée
de se présenter à l'Académie
munie d'un minimum de :*

- Vingt robes de bal (avec dessous assortis)
- Cinq paires de souliers de fête
- Douze tenues de jour
- Trois paires de pantoufles de velours
- Sept robes de cocktail
- Deux paires de bottes d'équitation
- Douze diadèmes, capes,
  manchons, étoles, gants,
  et autres accessoires indispensables.

Coucou !
Tu n'aimes pas l'hiver ? Moi, j'adore !
La neige craquante, si belle, si blanche.
Le givre scintillant. Et patiner sur le lac gelé :
c'est tellement amusant !
Au fait, je suis Princesse Charlotte. Je suis élève
aux Tours d'Argent, à l'Académie. J'apprends
à devenir une Princesse Modèle, avec mes amies.
Il y a Katie, qui est folle des animaux ; Daisy,
toujours très douce ; Alice, avec son sourire
éclatant ; Sophie, une vraie beauté ; Émilie,
la plus gentille fille du monde…
Et puis maintenant, il y a toi !

L'hiver peut arriver.
Ensemble, nous l'attendons de pied ferme !

À Princesse Angie, avec plein d'amour, V. F.

Chapitre premier

Oui, l'hiver est une saison fabuleuse… Surtout aux Tours d'Argent !

Depuis le début de la saison, il fait un froid idéal. Pas celui qui vous glace les os et vous enrhume ! Mais un froid lumineux, très gai, avec un ciel d'un bleu magnifique.

Le lac, devant l'école, est complètement gelé. Nous y patinons tous les jours, c'est trop drôle !

Même les jumelles Précieuse et Perla s'y sont mises… Ce qui ne les empêche pas de répéter que c'est indigne d'une Princesse Modèle ! Et puis, voici que ce matin, tout change soudain.

Avec mes amies, nous nous réveillons dans la Chambre des Roses d'Argent. Nous nous attendons à voir les rayons du soleil d'hiver illuminer notre dortoir. Mais au contraire : il fait gris, et triste !

Daisy bondit de son lit pour aller regarder à la fenêtre.

— Il pleut des cordes ! annonce-t-elle d'un air navré.

Vite, Katie se pelotonne sous ses draps. Émilie soupire :

— Et la compétition de danse sur glace, cet après-midi… ?

Nous nous dévisageons, déçues.

— Ce n'est sans doute qu'une averse passagère, espère Sophie.

— Pas cette fois, regrette Daisy. Vu le ciel, il va pleuvoir toute la journée.

— La poisse ! dis-je en me levant à mon tour. Résultat, on va rester en classe !

Et je lance mon oreiller à Katie. Mais cette paresseuse ne bouge pas d'un cheveu !

— La cloche du petit-déjeuner

sonne dans dix minutes, prévient alors Sophie en s'étirant. La pluie n'y change rien : nous devons nous dépêcher, ou nous serons punies !

— Sophie a raison ! insiste Alice.

Elle est déjà à la porte de la salle de bains ! Elle ajoute :

— N'oubliez pas : la dernière au réfectoire devra s'asseoir à la seule place libre… à côté de ces pestes de Précieuse et Perla !

Alice a trouvé les mots justes. Nous nous habillons en moins de deux… même Katie !

Peu après, nous arrivons

ensemble à la salle à manger. Les autres élèves sont presque toutes là. Par chance, il y a encore une table de six !

Nous nous installons, lorsque les jumelles Précieuse et Perla surgissent dans la pièce. En passant devant nous, elles reniflent avec dédain. Perla persifle :

— Vous ne pourrez pas faire vos intéressantes, avec cette pluie ! C'est tellement dommage…

— …Vous étiez si sûres de gagner la compétition ! termine Précieuse, d'un air moqueur.

J'ai un gros problème dans la vie : je dis souvent des choses sans réfléchir. Pas toi ? Les paroles sortent de ma bouche avant que j'aie le temps de m'en apercevoir… Et cela me cause parfois des ennuis terribles !

— Contre vous, on peut gagner n'importe quelle compétition ! je lance aussitôt d'un ton de défi.

Les jumelles ouvrent la bouche pour répondre.

Mais au même moment, la Reine Samantha entre dans la salle à manger. Notre directrice est très impressionnante. Surtout qu'elle est suivie de Fée Angora, très solennelle, et de Marraine Fée, l'Enchanteresse en Chef des Tours d'Argent.

Mais que viennent-elles nous annoncer ?!

Chapitre deux

— Mes chères princesses ! déclare la Reine en souriant. Ne soyez pas trop déçues par l'annulation du concours de la danse sur glace. J'ai une compétition d'un genre différent à vous proposer !

Nous nous adressons des regards étonnés. La directrice continue :

— Comme vous le savez, notre Fantaisie des Neiges aura lieu d'ici quelques jours, avant les vacances de Noël. En plus de la fête, il y aura un spectacle. Et c'est vous qui le donnerez !

Cette fois, nous écarquillons carrément les yeux ! Car la Fantaisie des Neiges a lieu en présence des parents d'élèves !

— Vous allez former des groupes, explique encore la Reine Samantha. Chaque groupe présentera le numéro de son choix :

chanson, danse, théâtre… Un jury les notera et le groupe gagnant remportera un séjour au célèbre Royaume des Glaces !

Le Royaume des Glaces !

Tout le monde rêve de visiter cet endroit ; c'est le plus fantasti-

que des parcs d'attractions du monde !

Dans la partie village, il y a une patinoire géante, des pentes neigeuses avec des mini-toboggans adorables, des traîneaux tirés par de vrais rennes ! Des échoppes en bois où l'on achète du chocolat viennois et des bonshommes de pain d'épice. Des magasins de jouets, de bijoux, de souvenirs…

Du côté de la fête foraine, les manèges sont tous aux couleurs de Noël ! La Grande Roue scintille d'ampoules vertes et rouges. Il y a aussi un carrousel magnifique, avec des chevaux dorés. Des chamboule-tout en pommes de pin ; des étalages de barbes à papa !

Mieux encore : quand on arrive là-bas, on vous remet une bourse pleine de jetons d'argent. C'est la monnaie du parc.

Oui, cet endroit doit être stupéfiant !

Alors, bien sûr, tout le monde bavarde fort dans la salle.

La directrice nous laisse discuter cinq minutes. Puis Marraine Fée réclame le silence en tapant avec une cuillère sur une table.

— Cessez ce vacarme, mesdemoiselles ! exige-t-elle d'une voix forte. Il y a des règles à respecter pour vos numéros !

Nous nous taisons brusquement. Maintenant, on entendrait

une mouche voler dans la pièce !
Marraine Fée commence à énoncer :

— Règle numéro un : la durée de chaque représentation. Pas moins de cinq minutes, pas plus de dix. Règle numéro deux : la création. Poème, chanson, pièce de théâtre : tout doit être de vous. Règle numéro trois : les costumes et les décors. À chaque groupe d'inventer les siens. Sachez cependant que Fée Angora et moi-même serons ravies de vous aider !

Un large sourire se dessine sur ses lèvres. Elle insiste :

— Si vous avez besoin d'un soupçon de magie... N'hésitez pas, nous sommes là !

Aussitôt, Perla lève la main.

— S'il vous plaît, Marraine Fée ! Il me semble qu'une

Princesse Modèle n'est pas censée se donner en spectacle ! Chez nous, nous avons un Maître de Cérémonie qui s'occupe de cela. Mère estime que «ces pitreries grotesques» sont indignes de notre rang.

Perla est si impolie, c'est incroyable !

Dans la salle à manger, nous retenons notre souffle. Mais Marraine Fée n'explose pas de colère. Et la Reine Samantha se contente de froncer les sourcils en articulant:

— Dois-je en conclure que vous ne souhaitez pas participer

au concours de notre Fantaisie des Neiges, Princesse Perla ?

Perla rougit soudain. Elle ne s'attendait pas à cela ! Je vois bien

qu'elle pense au merveilleux parc d'attractions…

— Heu…, hésite-t-elle. Je suppose que Précieuse et moi pouvons faire une exception…

— Je préfère, rétorque sèche-
ment la directrice. Que mes élèves refusent de prendre part à
notre fête d'établissement m'au-
rait beaucoup contrariée !

Alors, Marraine Fée brandit sa
baguette magique en concluant :

— Fée Angora et moi passe-
rons l'après-midi au bureau du

rez-de-chaussée. S'il vous faut quoi que ce soit, venez nous voir !

— J'ai de magnifiques tissus pour vos costumes, mes petites chéries ! confie Fée Angora.

Puis, la Reine Samantha et les deux fées quittent le réfectoire. Elles ont à peine disparu à l'angle du corridor, que Perla s'avance et me crie :

— Alors comme ça, la Chambre des Roses d'Argent peut tout gagner ?! C'est ce que nous verrons à la Fantaisie des Neiges, Mademoiselle-Charlotte-la-prétentieuse… Préparez-vous à perdre !

— On va vous é-cra-ser !
menace sa sœur jumelle.

Et les deux pestes sortent en
vitesse de la salle à manger.

Chapitre trois

— Nous écraser? répète Sophie, choquée. Elles y vont fort !

Alice croise les bras.

— Nous devons remporter le concours. Sinon, Précieuse et Perla ne nous laisseront jamais tranquilles !

— Alice a raison ! approuve Katie, ses yeux couleur émeraude brillants de malice.

Daisy acquiesce. Mais Émilie remarque :

— Nous ne sommes pas obligées de gagner… Il suffit que nous obtenions une meilleure note que les jumelles, pour les battre !

— Il faut décrocher le prix ! insiste Katie. N'est-ce pas, Charlotte ?

Me souvenant du regard noir que Perla m'a jeté, je renchéris :

— Nous allons le remporter, ce concours ! Ce serait quand même fabuleux de visiter le Royaume des Glaces ensemble !

— Un pur moment de bonheur, rêve Sophie.

— Alors là, d'accord ! lance Émilie.

Nous nous tournons vers elle. Elle bredouille :

— Je voulais juste dire que… Avoir envie de gagner pour le

prix, c'est une bonne chose. Mais pour clouer le bec d'une idiote, ce n'est pas du tout digne d'une princesse. En plus, Perla n'en vaut vraiment pas la peine !

Émilie nous surprendra toujours ! Sophie la serre dans ses bras :

— Que ferions-nous sans toi ? Tu viens de prouver que tu es la plus modèle des Princesses Modèles !

Moi, toute la matinée, je repense aux paroles d'Émilie.

Je me sens si mal à l'aise d'avoir provoqué Perla !

Je suis la moins modèle des Princesses Modèles… Je prends alors une grande résolution : penser plus souvent au bien-être des autres !

À l'heure du déjeuner, chaque élève des Tours d'Argent réfléchit à son numéro pour la Fantaisie des Neiges.

Princesse Sarah s'entraîne à la roue tout le long du couloir. Les Princesses Yasmina, Adélaïde et Louise sont si absorbées par la

préparation de leur pièce de théâtre qu'elles laissent refroidir leur soupe. Princesse Nancy chantonne sans arrêt et Princesse Églantine griffonne dans son carnet.

— Et nous ? commence Katie, à notre table.

— Nous pourrions danser, suggère Daisy. Sophie est très douée !

— Mais Charlotte écrit de jolis poèmes, rappelle Sophie en m'adressant un clin d'œil.

— Si Daisy compose une mélodie, la poésie de Charlotte deviendra une chanson, réalise subitement Émilie.

— Une chanson sur laquelle nous pourrions danser ! achève Alice.

Je ne suis pas aussi enthousiaste…

— Une minute ! Je ne suis pas sûre de réussir à…

— Mais si ! m'interrompt Katie. Ce sera formidable ! Donc

toi, Charlotte, tu écris la poésie. Daisy invente un petit air. Et Sophie s'occupe de la chorégraphie ! Alice a des talents d'illustratrice. Je propose qu'elle dessine les costumes. Émilie et moi, on se charge du décor !

— Ça marche ! applaudit Alice.

— Ça marche ! répètent les autres en chœur.

Mes amies semblent si heureuses, je n'ose pas refuser… Pourtant, j'ai très peur de rater mon poème et de tout gâcher !

— Je crois que nous irions plus vite en écrivant ensemble, je suggère alors, pleine d'espoir.

— Mettons-nous au travail !
accepte Alice.

Nous la suivons à la queue leu
leu vers la salle polyvalente. C'est
un salon réservé aux loisirs per-
sonnels des élèves. On peut y lire,
y jouer… y inventer une poésie !

À condition d'avoir des idées.

Et je t'assure que ce n'est pas
facile !

Nous mâchouillons nos
crayons depuis une éternité.
Nous réfléchissons encore, et
encore…

Le pire, c'est que Précieuse et
Perla se sont assises sur le canapé
juste à côté. Elles bavardent

comme des pies. Dur de se concentrer !

Enfin, je lance :

— Pourquoi ne pas parler des Tours d'Argent ?

— Mais il nous faut une rime…, souligne Daisy.

— Je sais ! bondit Alice. «Élégant», c'est parfait !

Je commence à noter dans mon cahier de brouillon :

«… des Tours d'Argent,
… toujours élégant ! »

— Cela démarre bien ! nous encourage Émilie.

Sophie relit le texte par-dessus mon épaule. Elle complète :

«Pour les élèves
des Tours d'Argent»

Daisy enchaîne :

« L'hiver reste toujours
élégant »

— Et voilà ! s'écrie Katie. La
Fantaisie des Neiges est bien la

fête de l'hiver de notre école, non ? Notre chanson doit parler de l'hiver !

Je résume :

— Le poème évoquera tout ce que nous aimons en hiver. Et comme le jour le plus important de cette saison est Noël, nous terminerons en souhaitant au public : « Joyeux Noël à tous, et à tous Bonne Année ! »

Mes amies sont trop contentes !

J'achève le texte en quelques minutes. Puis, nous le relisons à voix haute avec fierté…

Nous ne pensons même plus à Précieuse et Perla, tout à côté !

Et c'est bien dommage… Car, sinon, nous aurions remarqué que les deux chipies se taisaient, maintenant.

Pour mieux nous espionner !

Chapitre quatre

Il y a tant à faire pour notre spectacle !

Mais heureusement, avec mes amies, c'est un vrai plaisir…

J'améliore la poésie, tandis que Daisy compose une joyeuse mélodie. Elle a trouvé un rythme envoûtant, en l'entendant on a tout de suite envie de danser !

Sophie règle la chorégraphie. Elle étudie chaque mouvement avec grand soin. Et Alice a déjà dessiné nos costumes sur d'immenses feuilles de papier cartonné. Ses modèles sont merveilleux !

Pour Sophie, Émilie et Katie, elle a prévu de somptueuses robes de satin blanc, rebrodées de flocons pailletés et gonflées par des jupons en tulle.

Pour Daisy, elle et moi, ce sera du velours vert sombre orné de gouttelettes de cristal, avec une

ceinture de soie rouge et plu-
sieurs épaisseurs de jupons en
soie rouge également.

— Nous porterons des cer-
ceaux, sous nos jupons, pour
donner du volume à nos robes,

précise Alice. Comme dans l'ancien temps ! Quand nous tourbillonnerons sur nous-mêmes, ce sera époustouflant !

Elle se tait soudain, l'air rêveur. Puis elle se remet à dessiner ; on dirait bien que notre Alice bouillonne d'idées !

— Regarde ça, Précieuse ! s'exclame alors Perla en se tenant debout devant les beaux dessins d'Alice. Les six pimbêches de la Chambre des Roses d'Argent vont se déguiser en clowns !

Pauvre Alice ! Elle est trop polie pour cacher ses feuilles aux jumelles…

Précieuse bouscule Daisy, afin d'approcher à son tour.

— Je n'en crois pas mes yeux, Perla! répond-elle. Qu'est-ce que c'est que ces taches affreuses sur les robes?

— Ce sont des flocons pailletés, explique Alice aux deux jalouses. Et cela n'a rien d'affreux !

Mon amie se relève calmement, ramasse ses dessins et ajoute :

— À présent, veuillez m'excuser, mais je descends choisir mes tissus chez les fées…

— Oh pardon ! persifle Perla. Nous ne voudrions surtout pas te gêner dans ton art… bizarre !

La méchante s'éloigne avec sa sœur en lançant encore :

— En tout cas, nos robes à nous sont prêtes !

Moi, je pense qu'elle ment.

D'ailleurs, quand nous accompagnons Alice au bureau de Marraine Fée, nous recroisons Perla dans le couloir. Elle est adossée contre le mur et dessine dans un carnet. Très vite, comme si elle avait peur d'oublier ce qu'elle a en tête…

Un instant, je la soupçonne de copier les modèles d'Alice !

Mais c'est impossible. Même les deux plus horribles princesses des Tours d'Argent ne peuvent pas être horribles à ce point !

Hourra ! Le jour de la Fantaisie des Neiges est arrivé !

Tu peux t'en douter, nous ne traînons pas au lit, ce matin ! Nous avons tellement hâte que la fête commence…

Avant de descendre petit-déjeuner, Sophie nous fait répé-

ter une dernière fois notre numéro pour le concours.

Nous devons être parfaitement synchronisées !

Nous enfilons nos robes, et attention… Chanson !

« Pour les élèves
des Tours d'Argent,
(tournez, jetez, posez)
L'hiver reste toujours élégant !
(levez, posez, tournez)
En blanc de neige
et en vert du houx,
(on s'incline)
Nous venons chanter
l'hiver pour vous ! »
(bras tendus vers le public)

Tout est réglé comme du papier à musique !

Nous enchaînons alors sur un couplet qui décrit les joies de l'hiver. Et nous concluons enfin :

« Que soit bénie la saison glacée :
Joyeux Noël à tous,
et à tous Bonne Année ! »
(on plonge ensemble
dans une profonde révérence)

Je l'avoue : nous sommes plutôt fières de nous !

Quant à nos costumes, jamais je n'ai vu de robes aussi étincelantes ! Marraine Fée et Fée Angora ont réalisé exactement les modèles d'Alice. Les flocons pailletés scintillent sur le satin blanc ; les gouttelettes de cristal brillent de mille feux sur le velours vert.

Katie et Émilie se sont bien débrouillées pour notre décor. Elles ont confectionné une rangée de mini-sapins de Noël absolument adorables !

Avec tout cela, c'est certain, nous allons gagner !

La Fantaisie des Neiges a lieu en Salle de Bal d'Apparat.

Toutes belles dans nos costumes, nous traversons le couloir en hâte. De loin, nous entendons les invités qui s'impatientent, devant la scène…

Mes parents sont dans le public. Ainsi que des tas d'autres rois, reines, princes et princesses…

Je sens que je vais m'évanouir !

Il y a une sorte de petite pièce, à l'entrée de la Salle de Bal. Marraine Fée nous y accueille comme s'il s'agissait des coulisses d'un théâtre.

Derrière la porte se trouvent la scène, le jury, le public… Mon cœur bat à un million à l'heure !

— Mes chères enfants ! annonce l'Enchanteresse. D'abord, pas de panique !

Elle sourit, consulte ses fiches, et explique :

— Le groupe de la Chambre des Lupins d'Argent passera en premier. Suivra celui de la Chambre des Lavandes d'Argent, puis celui de la Chambre des Coquelicots d'Argent. Sauf Précieuse et Perla, qui présentent un numéro à part. Elles passeront donc juste après. Nous terminerons par la Chambre des Roses d'Argent.

Puis, la magicienne lève la tête et demande :

— Tout le monde est là ?

— Oui, Marraine Fée ! répondent Précieuse et Perla qui viennent d'arriver.

Elles portent de longues capes noires, pour cacher leur costume.

— Qu'est-ce qu'elles manigancent encore? chuchote Katie à mon oreille.

Je hausse les épaules.

Comment savoir? Elles ont
commandé leurs robes en dehors
de l'école !

J'ai aperçu un livreur avec un
colis énorme pour elles, hier.

Elles ont couru s'enfermer dans leur chambre pour l'ouvrir, et personne n'a eu le droit de voir !

Sophie les a traitées de tricheuses.

Mais ce n'est pas vrai, car elles ont dessiné elles-mêmes les costumes. Elles ont parfaitement le droit d'engager une couturière à la place de nos fées…

Même si c'est une idée idiote !

Chapitre cinq

— Glissez-vous au fond de la salle, ordonne Marraine Fée. Chaque groupe attendra son tour en regardant les autres.

Elle nous ouvre la porte et lance :

— Que les princesses de la

Chambre des Lupins d'Argent montent sur scène ! Yasmina, Louise, Adélaïde… Vous êtes prêtes ? Parfait !

Nous entrons dans la Salle de Bal d'Apparat. Marraine Fée ajoute :

— Bonne chance à vous toutes, mes enfants !

La pièce de théâtre des Lupins d'Argent est très réussie. Même si la pauvre Princesse Louise se prend tout le temps les pieds dans sa traîne !

Mais plus les minutes s'écoulent, moins mes amies et moi profitons des numéros…

Notre tour approche : quelle angoisse !

Au premier rang des spectateurs, la Reine Samantha prend des notes. Elle chuchote à l'oreille de son voisin, un Roi impressionnant. Ce sont eux, les jurés !

Enfin, c'est à Précieuse et Perla… Juste avant nous !

— L'heure H a sonné ! murmure Alice.

Moi, j'ai trop peur pour parler !

Qu'allons-nous devenir si leur numéro gagne le premier prix ?!

La musique retentit, les rideaux pourpres s'ouvrent… et

nous manquons nous étrangler
d'horreur !

Précieuse porte une robe de
satin blanc rebrodée de flocons
scintillants ; Perla est en velours
vert avec une ceinture de soie
rouge !

Les sœurs jumelles s'inclinent
devant le public, qui les applaudit à tout rompre.

Puis, Précieuse commence à chanter :

« Pour les élèves
des Tours d'Argent,
L'hiver reste toujours élégant ! »

Et Perla enchaîne :

« En blanc éclatant,
en vert charmant,
Nous venons chanter
avec talent ! »

C'est une catastrophe !
Elles ont volé notre numéro !
Les paroles de leur chanson sont

un peu différentes, la musique est moins rythmée et elles paradent au lieu de danser…

Mais elles ont quand même volé notre numéro !

J'en ai les larmes aux yeux. Comment présenter notre spectacle ? Tout le monde va se moquer ! Je sens que je vais pleurer, quand soudain…

Perla se tait.

Elle n'a interprété que deux vers et elle a oublié la suite des paroles ! Debout sur la scène, elle ressemble à un pauvre petit lapin piégé par le grand méchant loup…

Les spectateurs toussotent et Perla paraît de plus en plus désespérée.

Elle doit se dire : « Si seulement

je pouvais me cacher quelque part ! » Je connais ce genre d'impression…

C'est très désagréable !

Alors brusquement, je sais ce que je dois faire.

Je me lève, je chante du fond de la salle :

« Pour les élèves
des Tours d'Argent,
L'hiver reste toujours élégant ! »

Et j'exécute notre danse en traversant l'allée centrale ; je virevolte vers la scène.

Aussitôt, mes amies m'emboîtent le pas. Je les entends entonner dans mon dos :

« En blanc de neige
et en vert du houx, »

Nous atteignons l'estrade et plongeons chacune dans une profonde révérence avant de continuer :

« Nous venons chanter l'hiver
pour vous ! »

Là, comme prévu, nous tendons les bras vers le public.

Et les jumelles retrouvent tout à coup leur voix. Elles nous accompagnent, imitant nos ges-

tes. Nous les entourons, chantant et dansant mieux que jamais.

Elles sont entraînées dans notre numéro et on croirait vraiment que tout est fait exprès !

À la fin de la chanson, nous concluons :

« Que soit bénie
la saison glacée :

Joyeux Noël à tous,
et à tous Bonne Année ! »

Puis nous nous inclinons avec
grâce, comme prévu par notre

chorégraphie. Les jumelles s'inclinent aussi et les spectateurs
nous applaudissent en criant :

— Bravo ! Bravo !

C'est extraordinaire !

Nous faisons encore une révérence, et encore une autre. Nous
saluons les rois et les reines qui
nous applaudissent sans cesse.

Sans cesse jusqu'à ce que le rideau tombe ! Et là, il se passe quelque chose de terrible…

Précieuse devient rouge brique, elle tape des pieds avec colère et hurle sur Perla :

— Je te l'avais bien dit, qu'on ne devait pas les copier ! Je savais que tu oublierais les paroles !

Elles se disputent devant nous… mais aussi devant Marraine Fée et Fée Angora !

Fée Angora paraît absolument consternée par les aveux de Précieuse. Marraine Fée, elle, n'est pas surprise du tout…

Alors, Perla pousse un cri de

rage. Elle quitte la pièce à toute allure et Précieuse s'élance à sa suite.

Mais le grand moment est arrivé ! Le jury demande à toutes les princesses de remonter sur scène.

Nous nous empressons d'obéir.

Le rideau s'ouvre à nouveau ; ils vont nous donner les résultats du concours !

Je jette un coup d'œil rapide autour de nous : Précieuse et Perla manquent à l'appel…

Chapitre six

Sonnerie de trompettes…

La Reine Samantha se lève, l'air satisfait. Elle s'éclaircit la gorge, puis entame son discours :

— Mes chères princesses ! Vous vous êtes surpassées ! Je tiens à vous féliciter toutes ! Vous mériteriez chacune le prix. Malheureusement, seul un groupe partira au Royaume des Glaces… Mais je suis enchantée d'annoncer moi-même le gagnant !

Mes amies et moi, nous osons à peine respirer. Pourtant, je ne me fais pas d'illusions. Comment pourrions-nous gagner ? Notre numéro était tout mélangé à celui de Précieuse et Perla… !

— Les élèves que le jury a choisi d'élire ce soir présentent une qualité primordiale, reprend notre directrice. Aux Tours d'Argent, nous estimons que le plus important est d'apprendre à penser aux autres avant soi-même. Or, nos princesses gagnantes viennent de nous en donner une démonstration éblouissante ! Nous remettons donc le premier prix... à la Chambre des Roses d'Argent !

Sur l'instant, nous en restons muettes de surprise.

Et puis soudain, nous nous mettons à crier « Hourra ! », « Youpi ! »

D'accord : une Princesse Modèle ne doit pas hurler sa joie…

Mais nous hurlons malgré
tout, nous ne pouvons simple-
ment pas nous en empêcher… !

Nous nous étreignons avec
bonheur. Nous nous inclinons
respectueusement devant la
Reine Samantha. Nous adressons

de grands signes à nos familles,
parmi les spectateurs…

La salle partage notre eupho-
rie !

Le public applaudit long-
temps, longtemps…

Nous faisons révérence sur
révérence en riant…

Nous nous enlaçons encore,
croyant presque rêver…

C'est trop magique !

Plus tard, nous regagnons notre dortoir. Nous nous blottissons dans nos lits, lorsque Alice interroge :

— Je n'ai pas revu Précieuse et Perla… Vous savez où elles sont passées ?

— La mère de Sarah a dit à maman qu'elles avaient été renvoyées chez elles, bâille Sophie. Il paraît que Précieuse a avoué à Marraine Fée qu'elle avait volé les idées d'Alice, pour les robes. Et Perla a reconnu qu'elle avait triché.

— Tout est bien qui finit bien, remarque Katie.

— Oui, et grâce à Charlotte ! renchérit Émilie en m'envoyant un gros bisou.

— Charlotte… La plus modèle des Princesses Modèles ! ajoute Daisy.

Je suis si heureuse !

En m'endormant, je réalise quelle chance j'ai : ma vraie vie est plus belle que mes rêves !

J'ai cinq amies merveilleuses, je t'ai, toi… Et nous allons toutes ensemble visiter le Royaume des Glaces !

FIN

Les as-tu tous lus ?

Retrouve toutes les histoires de
Princesse Academy dans les livres précédents.

*Princesse Charlotte
ouvre le bal*

*Princesse Katie
fait un vœu*

*Princesse Daisy
a du courage*

*Princesse Alice
et le Miroir Magique*

*Princesse Sophie
ne se laisse pas faire*

*Princesse Émilie
et l'apprentie fée*

Saison 2 : les Tours d'Argent

*Princesse Charlotte
et la Rose Enchantée*

*Princesse Katie
et le Balai Dansant*

*Princesse Daisy
et le Carrousel Fabuleux*

*Princesse Alice
et la Pantoufle de Verre*

Connecte-toi vite sur le site de tes héros préférés :

www.bibliothequerose.com

· Tout sur ta série préférée
· De super concours tous les mois

Table

« Pour l'éditeur, le principe est d'utiliser des papiers composés de fibres naturelles, renouvelables, recyclables et fabriquées à partir de bois issus de forêts qui adoptent un système d'aménagement durable. En outre, l'éditeur attend de ses fournisseurs de papier qu'ils s'inscrivent dans une démarche de certification environnementale reconnue. »

Imprimé en France par Jean-Lamour - Groupe Qualibris
Dépôt légal : septembre 2008
20.02.1479.3/01 ISBN : 978-2-01-201479-4
Loi n° 49956 du 16 juillet 1949
sur les publications destinées à la jeunesse